在“不忘初心、牢记使命”主题教育总结大会上的讲话

（2020年1月8日）

习 近 平

人民出版社

在“不忘初心、牢记使命”主题教育总结大会上的讲话

（2020年1月8日）

习　近　平

同志们：

在全党开展“不忘初心、牢记使命”主题教育，是党的十九大作出的重大决策。党中央对此高度重视，做了精心准备、周密组织。从去年5月底开始，主题教育自上而下分两批进行，目前已基本结束。各级党组织有力推动，广大党员、干部积极投入，人民群众热情

支持，整个主题教育特点鲜明、扎实紧凑，达到了预期目的，取得了重大成果。

一是各级党组织和广大党员、干部深入学习实践新时代中国特色社会主义思想，提高了知信行合一能力。广大党员、干部带着责任、带着问题读原著学原文，通过中心组学习、举办读书班、集中交流研讨等形式，深学细悟、研机析理，加深理解和领会，推动学习往深里走、往实里走，强化理想信念和使命担当，较好解决了学习不深入、落实不到底的问题。大家都认识到，科学理论是我们推动工作、解决问题的“金钥匙”，越学越觉得有信心，越学越觉得有力量。

二是各级党组织和广大党员、干部思想政治受到洗礼和锤炼，增强了守初心、担使命的思想自觉和行动自觉。这次主题教育，既抓思想引导又抓行为规范，广大党员、干部对照党中央决策部署，对照党章党规，对照人民群众新期待，对照先进典型、身边榜样，找差距、摆问题，坚定了对马克思主义的信仰、对中国特色社会主义的信念。通过认真学习党史、新中国史，深入开展革命传统教育，重温入党誓词、重忆入党经历、重问入党初心，召开专题民主生活会、组织生活会，开展批评和自我批评，受到一次严肃的党内政治生活锻炼。通过这次主题教育，广大党员、干部信仰之基更加牢固、精神之钙更加充足。

三是各级党组织和广大党员、干部干事创业、担当作为的精气神得到提振，推动了改革发展稳定各项工作。广大党员、干部以刀刃向内的精神开展批评和自我批评，叩问初心变没变、使命担没担，增强了为党分忧、为国奉献、为民造福的责任感，强化了坐不住的紧迫感，激发了只争朝夕、奋发有为的干劲和越是艰险越向前的斗争精神。坚持把主题教育同贯彻落实党中央决策部署结合起来，同破解改革发展稳定突出问题和党的建设紧迫问题结合起来，同庆祝新中国成立70周年结合起来，推进供给侧结构性改革，推进脱贫攻坚，有力推动了经济社会高质量发展。

四是各级党组织和广大党员、干部积极解决群众最急最忧最盼的问题，强化了宗旨意识和为民情怀。广大党员、干部深入基层、深入一线，积极回应群众关切，切实解决群众最关心最直接最现实的利益问题，特别是解决群众看病难、上学难、就业难、住房难等操心事、揪心事，以看得见的变化回应群众期盼，群众获得感、幸福感、安全感明显提升。许多群众谈到，现在我们话有地方说了，干部的面经常能见到了，以前难办的事也有人去办了。

五是各级党组织和广大党员、干部深入进

行清正廉洁教育，涵养了风清气正的政治生态。通过教育引导广大党员、干部回看走过的路、远眺前行的路，进一步搞清楚了我是谁、为了谁、依靠谁的问题，增强了忠诚干净担当的主动性和自觉性。发挥先进典型示范激励作用，深入开展反面典型警示教育，以案示警、以案明纪，促进党员、干部知敬畏、守底线，纪律意识和规矩意识进一步提升，公正用权、依法用权、廉洁用权的自觉性明显增强，党群干群关系更加密切，党内政治生态持续好转。

六是各级党组织和广大党员、干部重点抓突出问题专项整治，消除了一些可能动摇党的根基、阻碍党的事业的因素。这次主题教育把开展专项整治作为增强实效的重要抓手，对突出问题进行大排查、大扫除，坚决整治落实党中央决策部署阳奉阴违、不担当不作为、违反中央八项规定精神、层层加重基层负担、领导干部配偶和子女及其配偶违规经商办企业问题，坚决整治侵害群众利益、基层党组织软弱涣散、对黄赌毒和黑恶势力听之任之甚至充当保护伞等问题，坚决整治利用名贵特产和特殊资源谋取私利问题，真刀真枪解决了党内存在的一些突出问题，攻克了一些司空见惯的顽瘴痼疾。大家普遍反映，专项整治切口小、效果好，充分彰显了我们党勇于自我革命的鲜明品格，有效增强了党的先进性和纯洁性。

这次主题教育是新时代深化党的自我革命、推动全面从严治党向纵深发展的生动实践，促进了全党思想上的统一、政治上的团结、行动上的一致，为我们党统揽“四个伟大”、实现“两个一百年”奋斗目标作了思想上政治上组织上作风上的有力动员，具有重大现实意义和深远历史影响。

同志们！

这次主题教育，总结历次党内集中教育经验，对新时代开展党内集中教育进行了新探索、积累了新经验。

一是聚焦主题、紧扣主线。针对新时代党的建设任务和党内存在的突出问题，确立"不忘初心、牢记使命"的主题，把学习贯彻新时代中国特色社会主义思想作为主线，提出"守初心、担使命，找差距、抓落实"的总要求，学习教育围绕主题、主线、总要求深学细悟，调查研究围绕主题、主线、总要求寻策问道，检视问题围绕主题、主线、总要求对标找差距，整改落实围绕主题、主线、总要求真改实改，克服学做脱节问题，确保了党内集中教育不走神。

二是以上率下、示范带动。中央政治局以"牢记初心使命、推进自我革命"为题进行集体学习，开展专题民主生活会，为全党作了示范引导。各级党委（党组）履行主体责任，各级领导班子成员特别是主要负责同志带头学研查改，以“关键少数”示范带动“绝大多数”，精心组织谋划、推动落实责任，做到了一贯到底、落实落地。

三是有机融合、一体推进。这次主题教育有一个鲜明特点，就是不划阶段、不分环节，把学习教育、调查研究、检视问题、整改落实四项重点举措贯穿全过程，有机融合、一体推进。把学和做结合起来、查和改贯通起来，边学边研边查边改，以学促研、以研促查、以查促改。不硬性规定时间节点、不简单强调前后顺序，既注重同步推进、协调实施，又各有侧重、穿插进行，提高了主题教育质量，提升了党内集中教育的整体成效。

四是紧盯问题、精准整改。突出问题导

向，从一开始就改起来，奔着问题去、盯着问题改，对标整改、源头整改、系统整改、联动整改、开门整改，着力抓好整改落实特别是8个方面突出问题专项整治。对问题整改实行台账式管理、项目化推进，明确责任主体、进度时限和工作措施，列出清单、挂牌销号，逐条逐项推进落实，做到问题不解决不松劲、解决不彻底不放手、群众不认可不罢休，一锤接着一锤敲，确保取得的成果经得起实践、人民、历史检验。

五是严督实导、内外用力。中央主题教育领导小组及其办公室加强政策研究指导，分级分类推进，压紧压实责任。各级指导组、巡回督导组、巡回指导组沉下去，敢于坚持原则、动真碰硬，把党中央精神传导到位，把压力动力传递到位。各地区各部门各单位坚持敞开大门，请群众参与、监督、评判，对群众不满意的及时“返工”、“补课”。坚持正面宣传和舆论监督，营造良好氛围。

六是力戒虚功、务求实效。把反对形式主义、官僚主义作为突出要求，不以专家讲座、理论辅导代替自学和研讨，就近开展红色教育，不对写读书笔记、心得体会等提出硬性要求，不搞“作秀式”、“盆景式”调研，严格控制简报数量，不将有没有领导批示、开会发文发简报、台账记录、工作笔记等作为主题教育各项工作是否落实的标准。把主题教育同落实“基层减负年”的各项要求结合起来，总结推广一批整治形式主义官僚主义、为基层减负的好经验好做法，通报曝光一批形式主义、官僚主义的典型案例，把基层干部干事创业的手脚从形式主义的束缚中解脱出来，防止重“形”不重“效”，把工作做扎实、做到位。

在充分肯定成绩的同时，我们也要清醒看

到存在的问题，主要是：有的领导干部理论学习不深、不透、不系统，学用脱节，运用党的创新理论推动工作的能力不足；有些问题的整改还没有到位，一些深层次矛盾和问题还没有从根本上破解；有的基层党组织建设还比较薄弱，联系服务党员、群众的机制还不够健全顺畅；有的地方仍然存在形式主义、官僚主义，急于求成、急功近利，增加基层负担，如此等等。群众最担心的是教育一阵风、雨过地皮湿，最盼望的是保持常态化、形成长效机制。我们要善始善终、善作善成，把全面从严治党要求真正落到实处。

同志们！

我们党是一个有着 9000 多万名党员、460 多万个基层党组织的党，是一个在 14 亿人口的大国长期执政的党，是中国特色社会主义事业的坚强领导核心，党的自身建设历来关系重大、决定全局。

当今世界正经历百年未有之大变局，我国正处于实现中华民族伟大复兴关键时期，我们党正带领人民进行具有许多新的历史特点的伟大斗争，形势环境变化之快、改革发展稳定任务之重、矛盾风险挑战之多、对我们党治国理政考验之大前所未有。我们党作为百年大党，要始终得到人民拥护和支持，书写中华民族千秋伟业，必须始终牢记初心和使命，坚决清除一切弱化党的先进性、损害党的纯洁性的因素，坚决割除一切滋生在党的肌体上的毒瘤，坚决防范一切违背初心和使命、动摇党的根基的危险。

凡是过往，皆为序章。全党要以这次主题教育为新的起点，不断深化党的自我革命，持续推动全党不忘初心、牢记使命。这里，我强调几点。

第一，不忘初心、牢记使命，必须作为加强党的建设的永恒课题和全体党员、干部的终身课题常抓不懈。一个人也好，一个政党也好，最难得的就是历经沧桑而初心不改、饱经风霜而本色依旧。党的初心和使命是党的性质宗旨、理想信念、奋斗目标的集中体现，激励着我们党永远坚守，砥砺着我们党坚毅前行。从石库门到天安门，从兴业路到复兴路，我们党近百年来所付出的一切努力、进行的一切斗争、作出的一切牺牲，都是为了人民幸福和民族复兴。正是由于始终坚守这个初心和使命，我们党才能在极端困境中发展壮大，才能在濒临绝境中突出重围，才能在困顿逆境中毅然奋起。忘记初心和使命，我们党就会改变性质、改变颜色，就会失去人民、失去未来。

一个忘记来路的民族必定是没有出路的民族，一个忘记初心的政党必定是没有未来的政党。应该看到，在党长期执政条件下，各种弱化党的先进性、损害党的纯洁性的因素无时不有，各种违背初心和使命、动摇党的根基的危险无处不在，党内存在的思想不纯、政治不纯、组织不纯、作风不纯等突出问题尚未得到根本解决。

马克思主义政党的先进性和纯洁性不是随着时间推移而自然保持下去的，共产党员的党性不是随着党龄增长和职务提升而自然提高的。初心不会自然保质保鲜，稍不注意就可能蒙尘褪色，久不滋养就会干涸枯萎，很容易走着走着就忘记了为什么要出发、要到哪里去，很容易走散了、走丢了。我们查处的那些腐败分子，之所以跌入违纪违法的陷阱，从根本上讲就是把初心和使命抛到九霄云外去了。不忘初心、牢记使命不是一阵子的事，而是一辈子的事，每个党员都要在思想政治上不断进行检视、剖析、反思，不断去杂质、除病毒、防污染。

我经常讲，党员、干部要经常重温党章，重温自己的入党誓言，重温革命烈士的家书。党章要放在床头，经常对照检查，看看自己做到了没有？看看自己有没有违背初心的行为？房间要经常打扫，镜子要经常擦拭。要教育引导各级党组织和广大党员、干部经常进行思想政治体检，同党中央要求“对标”，拿党章党规“扫描”，用人民群众新期待“透视”，同先辈先烈、先进典型“对照”，不断叩问初心、守护初心，不断坚守使命、担当使命，始终做到初心如磐、使命在肩。要以党的创新理论滋养初心、引领使命，从党的非凡历史中找寻初心、激励使命，在严肃党内政治生活中锤炼初心、体悟使命，把初心和使命变成锐意进取、开拓创新的精气神和埋头苦干、真抓实干的原动力。

第二，不忘初心、牢记使命，必须用马克思主义中国化最新成果统一思想、统一意志、统一行动。马克思主义政党的先进性，首先体现为思想理论上的先进性。注重思想建党、理论强党，是我们党的鲜明特色和光荣传统。毛泽东同志曾说过：“掌握思想教育，是团结全党进行伟大政治斗争的中心环节。”共产党人的初心，不仅来自于对人民的朴素感情、对真理的执着追求，更建立在马克思主义的科学理论之上。只有坚持思想建党、理论强党，不忘初心才能更加自觉，担当使命才能更加坚定。

学习的最大敌人是自我满足，要学有所成，就必须永不自满。现在，有的党员、干部对理论学习不重视，把自学变不学；有的想起来就学一学，三天打鱼、两天晒网；有的拿学习来装门面，浅尝辄止、不求甚解；有的学习碎片化、随意化，感兴趣的就学、不感兴趣的就不学；不少年轻干部理论功底还不扎实、理想信念还不够坚定。要做到真学真懂真信真用，还需要下更大气力。

我多次强调，中国共产党人依靠学习走到今天，也必然要依靠学习走向未来。全党同志要跟上时代步伐，不能身子进了新时代，思想还停留在过去，看问题、作决策、推工作还是老观念、老套路、老办法。这样的话，不仅会跟不上时代、做不好工作，而且会贻误时机、耽误工作。这个问题必须引起全党同志特别是各级领导干部高度重视。与时俱进不要当口号喊，要真正落实到思想和行动上，不能做“不知有汉，无论魏晋”的桃花源中人！

理论创新每前进一步，理论武装就要跟进一步。党的历次集中教育活动，都以思想教育打头，着力解决学习不深入、思想不统一、行动跟不上的问题，既绵绵用力又集中发力，推动全党思想上统一、政治上团结、行动上一致。要把学习贯彻党的创新理论作为思想武装的重中之重，同学习马克思主义基本原理贯通起来，同学习党史、新中国史、改革开放史、社会主义发展史结合起来，同新时代我们进行伟大斗争、建设伟大工程、推进伟大事业、实现伟大梦想的丰富实践联系起来，在学懂弄通做实上下苦功夫，在解放思想中统一思想，在深化认识中提高认识，切实增强贯彻落实的思想自觉和行动自觉。

第三，不忘初心、牢记使命，必须以正视问题的勇气和刀刃向内的自觉不断推进党的自我革命。“君子之过也，如日月之食焉：过也，人皆见之；更也，人皆仰之。”敢于直面问题、勇于修正错误，是我们党的显著特点和优势。列宁说过：“公开承认错误，揭露犯错误的原因，分析产生错误的环境，仔细讨论改正错误的方法——这才是一个郑重的党的标志”。强大的政党是在自我革命中锻造出来的。回顾党的历史，我们党总是在推动社会革命的同时，勇于推动自我革命，始终坚持真理、修正错误，敢于正视问题、克服缺点，勇于刮骨疗毒、去腐生肌。正因为我们党始终坚持这样做，才能够在危难之际绝处逢生、失误之后拨乱反正，成为永远打不倒、压不垮的马克思主义政党。

当前，少数党员、干部自我革命精神淡化，安于现状、得过且过；有的检视问题能力退化，患得患失、讳疾忌医；有的批评能力弱化，明哲保身、装聋作哑；有的骄奢腐化，目中无纪甚至顶风违纪，违反党的纪律和中央八项规定精神问题屡禁不止。古人说：“天下之难持者莫如心，天下之易染者莫如欲。”一旦有了“心中贼”，自我革命意志就会衰退，就会违背初心、忘记使命，就会突破纪律底线甚至违法犯罪。

初心易得，始终难守。全党同志必须始终保持崇高的革命理想和旺盛的革命斗志，用好批评和自我批评这个锐利武器，驰而不息抓好正风肃纪反腐，不断增强党自我净化、自我完善、自我革新、自我提高的能力，坚决同一切可能动摇党的根基、阻碍党的事业的现象作斗争，荡涤一切附着在党肌体上的肮脏东西，把我们党建设得更加坚强有力。

第四，不忘初心、牢记使命，必须发扬斗争精神，勇于担当作为。我们党诞生于国家内忧外患、民族危难之时，一出生就铭刻着斗争的烙印，一路走来就是在斗争中求得生存、获得发展、赢得胜利。越是接近民族复兴越不会一帆风顺，越充满风险挑战乃至惊涛骇浪。不忘初心、牢记使命，必须安不忘危、存不忘亡、乐不忘忧，时刻保持警醒，不断振奋精神，勇于进行具有许多新的历史特点的伟大斗争。

我们讲的斗争，不是为了斗争而斗争，也不是为了一己私利而斗争，而是为了实现人民对美好生活的向往、实现中华民族伟大复兴知重负重、苦干实干、攻坚克难。衡量党员、干部有没有斗争精神、是不是敢于担当，就要看面对大是大非敢不敢亮剑、面对矛盾敢不敢迎难而上、面对危机敢不敢挺身而出、面对失误敢不敢承担责任、面对歪风邪气敢不敢坚决斗争。

现在，在一些党员、干部中，不愿担当、不敢担当、不会担当的问题不同程度存在。有的做“老好人”、“太平官”、“墙头草”，顾虑“洗碗越多，摔碗越多”，信奉“多栽花少种刺，遇到困难不伸手”，“为了不出事，宁可不干事”，“只想争功不想揽过，只想出彩不想出力”；有的是“庙里的泥菩萨，经不起风雨”，遇到矛盾惊慌失措，遇见斗争直打摆子。这哪还有共产党人的样子?！不担当不作为，不仅成不了事，而且注定坏事、贻误大事。

温室里长不出参天大树，懈怠者干不成宏图伟业。广大党员、干部要在经风雨、见世面中长才干、壮筋骨，练就担当作为的硬脊梁、铁肩膀、真本事，敢字为先、干字当头，勇于担当、善于作为，在有效应对重大挑战、抵御重大风险、克服重大阻力、解决重大矛盾中冲锋在前、建功立业。

第五，不忘初心、牢记使命，必须完善和发展党内制度，形成长效机制。制度优势是一个政党、一个国家的最大优势。邓小平同志说过：“制度好可以使坏人无法任意横行，制度不好可以使好人无法充分做好事，甚至会走向反面。”我们党是吃过制度不健全的亏的。党的十八大以来，党中央坚持制度治党、依规治党，努力构建系统完备、科学规范、运行有效的制度体系，把全面从严治党提升到一个新的水平。

党的十九届四中全会提出建立不忘初心、牢记使命的制度。建章立制，要坚持系统思维、辩证思维、底线思维，体现指导性、针对性、操作性。既坚持解决问题又坚持简便易行，采取务实管用的措施切中问题要害；既坚持目标导向又坚持立足实际，力求把落实党中央要求、满足实践需要、符合基层期盼统一起来；既坚持创新发展又坚持有机衔接，同党内法规制度融会贯通，该坚持的坚持、该完善的完善、该建立的建立、该落实的落实。建立制度，不能大而全也不能小而碎，不能“牛栏关猫”也不能过于繁琐。

制度是用来遵守和执行的。全党必须强化制度意识，自觉尊崇制度，严格执行制度，坚决维护制度，健全权威高效的制度执行机制，加强对制度执行的监督，推动不忘初心、牢记使命的制度落实落地，坚决杜绝做选择、搞变通、打折扣的现象，防止硬约束变成“橡皮筋”、“长效”变成“无效”。

第六，不忘初心、牢记使命，必须坚持领导机关和领导干部带头。领导机关是国家治理体系中的重要机关，领导干部是党和国家事业发展的“关键少数”，对全党全社会都具有风向标作用。“君子之德风，小人之德草，草上之风必偃。”在上面要求人、在后面推动人，都不如在前面带动人管用。不忘初心、牢记使命，领导机关和领导干部必须做表率、打头阵。

“人不率则不从，身不先则不信。”领导

机关和领导干部带头冲在前、干在先，是我们党走向成功的关键。革命战争年代，喊一声“跟我上”和吼一声“给我上”，一字之差、天壤之别。新中国成立以后，也是因为我们党有一大批像焦裕禄、谷文昌、杨善洲、张富清这样的英雄模范率先垂范，才团结带领人民群众不断开创各项事业发展新局面。领导机关和领导干部要深刻认识自身的责任，时刻保持警醒，经常对照检查、检视剖析、反躬自省。

今年是决胜全面建成小康社会、打赢精准脱贫攻坚战、实现“十三五”规划收官之年，外部环境不利因素增多，国内经济下行压力加大，改革发展稳定任务繁重。越是形势严峻复杂越需要领导机关和领导干部保持定力、一往无前，越是任务艰巨繁重越需要领导机关和领导干部奋勇当先、实干担当。各级领导机关和领导干部要带头增强“四个意识”、坚定“四个自信”、做到“两个维护”，团结带领各族人民勇于战胜前进道路上的各种艰难险阻，以“赶考”的心态向党和人民交出一份满意的答卷。

图书在版编目(CIP)数据

在"不忘初心、牢记使命"主题教育总结大会上的讲话/
习近平 著. —北京:人民出版社,2020.1
ISBN 978-7-01-021858-8

Ⅰ.①在… Ⅱ.①习… Ⅲ.①习近平-讲话-学习参考资料②中国共产党-党员-思想政治教育-学习参考资料
Ⅳ.①D2-0②D261.42

中国版本图书馆CIP数据核字(2020)第009939号

(RMC-ZJDXI-084-20200108)

在"不忘初心、牢记使命"主题教育总结大会上的讲话

ZAI BUWANG CHUXIN LAOJI SHIMING
ZHUTI JIAOYU ZONGJIE DAHUI SHANG DE JIANGHUA

(2020年1月8日)

习 近 平

人民出版社 出版发行
(100706 北京市东城区隆福寺街99号)

北京新华印刷有限公司印刷 新华书店经销

2020年1月第1版 2020年1月北京第1次印刷
开本:880毫米×1230毫米 1/32 印张:1
字数:10千字

ISBN 978-7-01-021858-8 定价:3.00元

邮购地址 100706 北京市东城区隆福寺街99号
人民东方图书销售中心 电话 (010)65250042 65289539